LIFESTYLES
Nature & Architecture

FOTOGRAFÍA: MICHAEL CALDERWOOD

TEXTO: ANNUSKA ANGULO

HOTELES DE ENSUEÑO
EN MÉXICO

AMAZING HOTELS

Fernando de Haro • Omar Fuentes

AUTORES / AUTHORS
Fernando de Haro & Omar Fuentes

DISEÑO Y PRODUCCIÓN EDITORIAL / EDITORIAL DESIGN & PRODUCTION

DIRECCIÓN DEL PROYECTO / PROJECT MANAGER
Valeria Degregorio Vega
Norma Carpizo Domínguez

COORDINACIÓN / COORDINATION
Edali Nuñez Daniel

FOTÓGRAFO / PHOTOGRAPHER
Michael Calderwood Stock

TEXTO ORIGINAL / ORIGINAL TEXT
Annuska Angulo

TRADUCTOR / TRANSLATOR
Dave Galasso

© 2003, Fernando de Haro & Omar Fuentes

AM Editores S.A. de C.V.
Paseo de Tamarindos #400-B suite 102
Col. Bosques de las Lomas C.P. 05120
México D.F. tel. 52(55) 5258-0279. fax. 52(55) 5258-0556
E-mail: ame@ameditores.com
www.ameditores.com

ISBN 968-5336-25-3

Impreso en Hong Kong.

CONTENIDO
CONTENTS

Un nuevo concepto de hotel, que deja atrás la uniformidad y lo masivo, se ha ido desarrollando en todo el mundo, desde hace más de una década. Esta tendencia actual se inclina hacia la creación de espacios únicos, que delatan la personalidad y los gustos de sus propietarios, y que, más que imponer su presencia, se integran en su entorno, ya sea una playa tropical o el centro de una vieja ciudad colonial. Son establecimientos pequeños, o que dan la sensación de ser pequeños, por la excelencia de su servicio y atención al cliente; santuarios del lujo actual, un lujo que enfatiza la individualidad, las emociones y las experiencias únicas.

México, por su abundante riqueza visual, ha sido un país pionero en la evolución hotelera. Muchos inversores (extranjeros y nacionales) simplemente han caído enamorados de algún rincón del país, y con ellos han traído su idea de excelencia a estos lugares que por si solos son suficientes para transportar la imaginación, pero que combinados con la estancia en uno de estos hoteles se convierten en escenarios de momentos fuera de lo común.

INTRODUCCIÓN
INTRODUCTION

A delightful concept has been gaining popularity for over a decade now that exalts the idea that less truly is more. A growing number of boutique luxury hotels have been appearing that not only reflect the unique taste, vision and personality of their creators, but that also give enormous importance to being a natural part of their surroundings, be it a tropical paradise or colonial city. In some cases they are small, in others they only seem that way because of the excellent service, whatever thir size all of these establishments share a deep concern for the comfort of their guests, attention to detail and maintaining what is often award-winning quality. These are sanctuaries of modern luxury that focus on individuality, passion and singular experiences.

Mexico's abundance of visual richness has been a key factor in its being a pioneer in the hospitality industry. Many domestic and foreign investors have simply fallen in love with a particular location and brought their ideas of excellence to them. Each of these places is sufficiently rich in attractions to stand on their own, yet when combined with one of these hotels they achieve something transcendental.

Este concepto de hotel ha nacido de la necesidad de escapar de la rutina y el estrés, y de encontrarse con lo extraordinario. Más que lugares donde pasar la noche, son experiencias totales, que abarcan todos los placeres, desde el disfrute de un entorno natural y privilegiado hasta las más modernas comodidades que ofrece la nueva tecnología. *Spa*, restaurante *gourmet*, mobiliario exquisito, y ante todo, un servicio impecable, son algunos de los elementos que distinguen estos hoteles del resto.

En este libro, y a través de las magníficas fotografías de Michael Calderwood, presentamos una selección de los mejores "Hoteles de Ensueño" en México.

This distinctive hotel concept responds to a desire to break with the stress and routine of everyday life in the pursuit of the extraordinary. More than places to simply spend the night, they are a total lodging experiences that cover the spectrum of pleasures, from enjoying nature at her finest to the most innovative contemporary amenities. World-class spas, gourmet fusion restaurants, exquisite furnishings, and above all, impeccable service are but a few of the features that set these hotels apart from the rest.

Thanks to the magnificent photographs of Michael Calderwood we are able to graphically illustrate some of the best "Amazing Hotels" in Mexico today.

Estos espacios tienen el poder de desatar la imaginación de las personas, porque ofrecen la posibilidad de realizar cualquier fantasía, y la de facilitar encuentros. Parejas en sus lunas de miel, familias que se reencuentran, turistas con altas expectativas para sus días de vacaciones, artistas en busca de inspiración, o ejecutivos en viaje de negocios; cualquiera que sea la razón para visitarlos, estos hoteles exceden cualquier expectativa, y de alguna manera cambian la perspectiva ante la vida.

La diferencia entre un hotel común y uno extraordinario se puede ver en la atención a los pequeños detalles, en la selección del personal de trabajo, y en los elementos arquitectónicos escogidos, que se combinan para ofrecer sensaciones placenteras y de intimidad. Desde la construcción de los edificios hasta la selección de los muebles, pasando por el desarrollo de nuevos conceptos de lujo y confort, cada detalle de estos hoteles ha sido cuidado minuciosamente por sus creadores.

En un mundo saturado de franquicias, donde el estilo se comercializa en masa a la velocidad de la luz, estos hoteles son obras de arte únicas e irrepetibles, que expresan un punto de vista particular y una filosofía de la vida que acentúa la diversidad y el respeto por el entorno. Que lo disfruten.

Each of these places has the power to arouse the imagination with flights of fantasy and chance encounters.

Whether you are a couple on your honeymoon, part of a family coming together after years of separation, a tourist that expects a lot from your limited vacation time, an artist seeking inspiration or an executive on a business trip, whatever the reason for staying at one of these hotels, they will more than please and quite likely even influence your outlook on life.

The difference between a regular hotel and a remarkable one can be found in the attention they give to details, their care in selecting staff and the style and quality of the decorative elements. When combined the result is a sense of intimate comfort and satisfaction. The construction of the buildings and choice of furnishings are guided by new concepts of luxury and comfort that are carefully supervised by the hotels' creators.

In a world of franchises where style is mass marketed at the speed of light, these boutique hotels are rare, irreplaceable works of art based on a point of view and life philosophy that celebrate diversity and respect for nature. We hope you enjoy it.

Arquitectos Mexicanos Editores

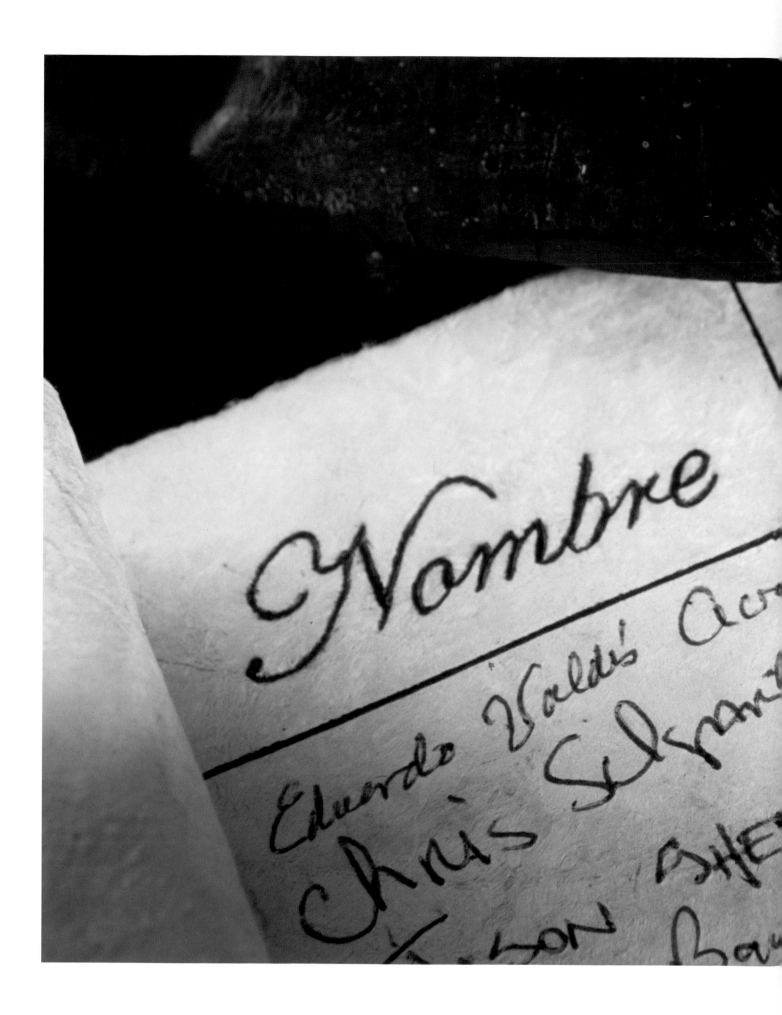

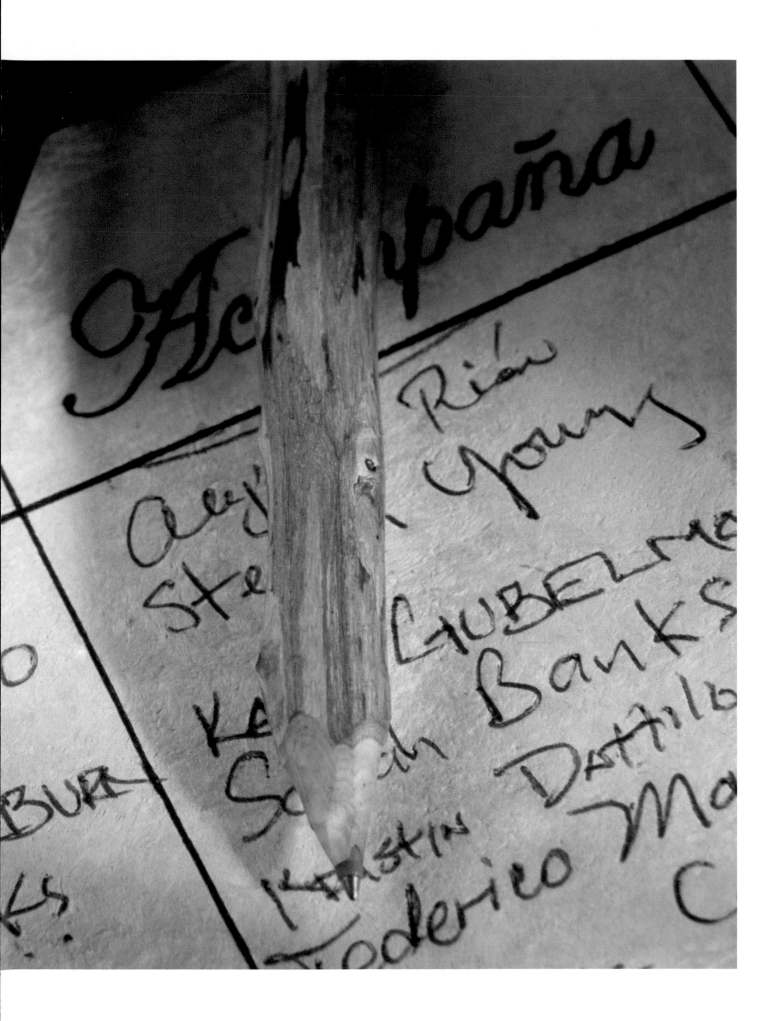

CASA NATALIA

SAN JOSÉ DEL CABO

Nathalie y Loïc Tenoux, propietarios de Casa Natalia, se conocieron en San José del Cabo. Se casaron, y soñaron construir su propio oasis en este lugar, y como a veces sucede, su sueño se hizo realidad. Compraron una hermosa casa en el centro del pueblo, que anteriormente había pertenecido a una misma familia por tres generaciones.

De la construcción original dejaron algunos detalles como las rejas de las ventanas, pero la idea era transformar la casa hasta convertirla en el lujoso hotel que es hoy en día, uno de los favoritos de los Cabos. El hotel es pequeño e intimista, con 14 habitaciones decoradas individualmente, 2 suites-spa y una alberca de media luna. Una cascada de agua se escucha por cada rincón de la casa, produciendo una sensación de frescura y paz. La ubicación es muy afortunada, dado que se encuentra en el centro de San José del Cabo, y al mismo tiempo muy cerca de las playas y de otros atractivos de la zona, como el pueblo de Todos Santos, el arco natural de piedra en la punta de Baja California, y en su época, las ballenas que cada año visitan el Mar de Cortés.

INTIMATE OASIS OASIS

Owners Nathalie and Loïc Tenoux met in San José del Cabo, Mexico. They married and dreamed of building their own oasis in this delightful resort destination. As often happens, their dream came true. They bought a beautiful home in the center of the charming village, that had belonged to a single family for three generations.

When renovating, the couple preserved only a few details from the original construction, such as the ornate window grills. Their vision from the beginning was to transform it into the boutique luxury hotel it is today, one of the favorites in Los Cabos. With 14 individually decorated rooms, 2 spa-suites and a half-moon pool, the lodging is small, intimate and very relaxing. Massages are offered within the privacy of the rooms. The sound of a waterfall echoes throughout the house, producing a sensation of freshness and tranquility. Casa Natalia is conveniently located in the heart of San José del Cabo, and very close to the beaches and other tourist attractions in the area such as the seaside town of Todos Santos, the Arch at Land's End, and the best spots for whalewatching in the Sea of Cortez.

ÍNTIMO

"Aquí aprendí que «casa» quiere decir
«hogar», más que edificio"...

"Aquí aprendí que, en español, «casa» quiere decir «hogar», más que «edificio»", dijo un cliente, refiriéndose a Casa Natalia y su forma de hacer sentir a los huéspedes que no están en un hotel, sino en su propio hogar. Es un hotel favorecido por los recién casados, clientes que buscan algo diferente y también está disponible para bodas, producciones fotográficas, y reuniones de todo tipo.

"Here I learned that 'casa', means 'home' rather than 'house'", in Spanish, commented a guest when referring to the way Casa Natalia made them feel as if they were in their own home instead of a hotel. This charming boutique hotel is a favorite for newlyweds, and people who want to experience a special getaway, and is also available for weddings, photo shoots and other types of special events.

"mi cocina" una experiencia culinaria

Loïc Tenoux es también el *chef* del inovador restaurante "Mi Cocina" de comida Mexico-Europea en Casa Natalia. El mejor cristal europeo y la porcelana más fina visten las mesas, anticipando una experiencia culinaria fuera de lo común. Los platillos son muy originales e interesantes, puesto que combinan los ingredientes locales con recetas internacionales. Algunas de las especialidades de la casa son el Salmón Curado en Tequila, Chile Relleno de Cordero en Salsa Verde, Camarones Estilo del Chef y el Pastel de Chocolate hecho en casa.

Loïc Tenoux is also the executive chef of Casa Natalia's restaurant "Mi Cocina" an innovative Mexican-Euro cuisine. The tables are set with fine european crystal and dinnerware, preparing you for an unforgettable culinary experience. The menu is both original and varied. Creating a fusion of local ingredients with international recipes, Chef Tenoux offers specialties of the house that include smoked salmon in tequila, stuffed chilies with lamb in green sauce, the chef's shrimp, and Casa Natalia's homemade chocolate cake.

Aunque la decoración sea puramente mexicana, por todo el hotel se respira una atmósfera europea, que delata la procedencia de sus dueños. Las habitaciones tienen terrazas privadas que miran a la alberca de agua tibia situada en el centro del hotel. Las terrazas de las suites, con *jacuzzis* al aire libre y hamacas proporcionan una experiencia inolvidable.

While the decoration is pure Mexican, the atmosphere is undeniably European, like its owners. Accommodations have private terraces overlooking the pool in the center of the hotel. Suites have an outdoor Jacuzzi and hammocks on their terraces for an unforgettable experience.

ESPERANZA

CABO SAN LUCAS

En el extremo más al sur de la península de Baja California, cerca de Cabo San Lucas, se encuentra

este hotel parte del grupo Auberge Resorts, grupo especializado en el lujo y servicio sofisticado.

Estrellas de Hollywood llegan aquí para mimarse, descansar y reponerse de todo. Las cincuenta casitas

y tres suites que componen el resort están situadas en un escenario incomparable, lo que ofrece

espectaculares vistas al mar de Cortés desde todas las terrazas. Fuera del hotel, las actividades a escoger

son muy variadas: buceo, paseos en velero, pesca deportiva, excursiones para observar ballenas, y acceso

a los mejores campos de golf del mundo. El clima, con menos de quince días de lluvia al año, es siempre

perfecto. Sol y mar, sofisticación simple y cálida hospitalidad, una fiesta para los sentidos, una experiencia

exquisita. Todo lo que puedes desear y más: esta es la filosofía que ofrece Esperanza. Una experiencia

completa para restaurar cuerpo y alma, dentro de un mundo de lujo en un ambiente único y saludable.

SENSACIONES
INCOMPARABLES
INCOMPARABLE SENSATIONS

Land's End is the name of the southernmost part of Mexico's Baja California Peninsula. This is where

Cabo San Lucas is located as well as Esperanza -an award winning hotel operated by Auberge Resorts,

a name associated with luxury and fine service. Hollywood stars come to Esperanza to relax, be

pampered and recharge. 50 casitas and 3 suites create an incomparable resort atmosphere with

spectacular oceanviews of the Sea of Cortez from their terraces. Nearby recreational activities abound,

ranging from diving to sailing, sport fishing, whale watching and access to some of the best golf courses

in the world. The climate, with less than 15 days of rain per year, is almost always perfect. Barefoot

sophistication, a celebration of the senses, sun and sea Esperanza is everything you could hope

for and more. Esperanza offers a complete program to restore and rejuvenate the body and spirit

in a healthy seaside resort environment of luxury and comfort.

una experiencia
íntima y deliciosa

El Restaurante y Lounge Bar se encuentran resguardados por enormes palapas hechas a mano por artesanos locales, enmarcando una espectacular vista del Mar de Cortés. Las terrazas a desnivel del restaurante aseguran una experiencia íntima y deliciosa. Vinos, los mejores del mundo, y una especial selección de mas de 100 tequilas para deleitar los paladares más exigentes. "El Mercado", ubicado en la plaza del hotel, ofrece una selecta variedad de carnes frías, chocolates y pan hecho en casa, café, té y productos artesanales difíciles de encontrar en el área.

The restaurant and lounge bar are shaded by large handwoven palapas that are open to the sea. Located on different levels of the restaurant, each of the terraces offers a deliciously intimate atmosphere. The wine list consists of many of the best labels in the world and is complemented by a selection of over 100 tequilas. At "El Mercado", a food market in the hotel's plaza, you will find a variety of cold cuts, chocolates, homemade bread, coffee, tea and hard to locate items in Los Cabos.

Esperanza es el lugar ideal para bodas o reuniones muy especiales. El salón privado y su terraza con vista al mar hacen que su evento se convierta en una experiencia inolvidable.

Offering a large private hall with a beautiful ocean terrace, Esperanza is ideal for an unforgettable special event, wedding or special reunion.

Obras de grandes artistas mexicanos decoran las paredes de cada casita. Edredones Frette y almohadas de plumas de pecho de ganso, jabones y cremas diseñadas especialmente para Esperanza: cada detalle o amenidad está cuidadosamente elegida. Algunas de las casitas cuentan con una pequeña alberca privada en la terraza, para poder contemplar las estrellas o la puesta del sol sobre el mar.

Paintings by renowned Mexican artists decorate the walls of each casita. Frette comforters, goose down pillows, body care products specially created for Esperanza –every detail and amenity is carefully chosen-. Select suites have a soaking pool on their terrace for enjoying the romantic sunsets or stargazing.

El Spa de Esperanza es algo muy especial. Destacan sus novedosos tratamientos relajantes: masaje en el agua, mascarillas de aguacate, papaya y mango, faciales de cerveza, mascarillas corporales de lodo, deliciosas aguas frescas hechas de albahaca o flor de bugambilia…

The Spa at Esperanza is truly amazing. Treatments include a delightful Water Passage Therapy, delicious avocado butter manicure/pedicure, an unbelievable papaya/ mango body polish and beer face lift. Natural refreshing beverages are made from basil or bougainvillea flowers.

LAS VENTANAS
AL PARAÍSO

SAN JOSÉ DEL CABO

La prestigiosa revista de viajes Condé Nast Traveler nombró a Las Ventanas al Paraíso uno de los Spa resorts más notables en el mundo. Recientemente, el Robb Report lo eligió el número uno en su lista de hoteles resorts internacionales. Dentro del romántico enclave de Los Cabos, Baja California, Las Ventanas al Paraíso se encuentra en el punto exacto donde el Mar de Cortés mezcla sus aguas con el Océano Pacífico, y encarna el máximo glamour en la playa, un nuevo concepto de lujo sin precedentes. Este hotel consigue integrar el impresionante entorno natural con el lujo y los placeres más idílicos. La arquitectura se funde con el paisaje, así como la indulgencia y los placeres se combinan con una minuciosa atención a la salud y al bienestar físico. El énfasis de Las Ventanas al Paraíso está en incorporar y resaltar el impresionante entorno natural, en la calidad de todos los detalles, y en crear una atmósfera idílica, de relajación, de lujo y comodidad. Desde las dramáticas vistas al mar que se aprecian en todas las habitaciones, hasta el menú para mascotas que ofrece el hotel, pasando por el sistema de túneles subterráneos de servicio que permite a los huéspedes disfrutar sin obstrucciones, cada detalle de este hotel representa un nuevo concepto de opulencia y descanso.

ATMÓSFERA IDÍLICA IDYLLIC ATMOSPHERE

Las Ventanas al Paraíso was recently rated in a Condé Nast readers' poll as one of the top 25 Resort Spas for 2003, and was dubbed the top Luxury Resort in 2001 by the Robb Report. Las Ventanas al Paraíso is located where the waters of the Sea of Cortez and the Pacific Ocean come together within the romantic enclave of Los Cabos, Baja California. In short, this resort is the embodiment of oceanside glamor and luxury. This hotel combines the impressive natural scenery of the desert and ocean with the most pampering comforts and pleasures. The architecture blends gracefully with the surroundings and concept of personal well-being. The emphasis at Las Ventanas al Paraíso is on integrating and highlighting the natural environment, the quality of the details, and in creating a memorable casual luxury experience. From the dramatic views of the sea from each room to the pet menus that appear in every suite, right , through to the system of underground service tunnels that allow guests to enjoy the views and quiet undisturbed, this hotel is truly deserving of every top accolade it has been awarded.

vegetación desértica y el mar de fondo...

un lugar ideal

Para bodas y eventos especiales, se diseñó un gran patio, rodeado de vegetación desértica y el mar como telón de fondo. Una gama excepcional de lugares para eventos está disponible para convenciones o reuniones de cualquier tipo, como el centro de conferencias de configuración múltiple, o "La Cava", un lugar ideal para ofrecer cenas íntimas.

A large seaside terrace with desert vegetation and the ocean as a backdrop was designed specifically for weddings and special events. The resort offers a number of exceptional settings for conventions and reunions, such as a multi-function conference center or the wine cellar "La Cava", an ideal place for intimate dinners.

El sonido prehispánico de los caracoles marinos anuncia a los huéspedes que las ballenas se encuentran cerca: es el momento de usar los binoculares provistos para la ocasión. Cada suite cuenta además con un telescopio para observar los astros, y para una visión más detallada, un avanzado telescopio computerizado al que no se le escapa nada está disponible para los huéspedes que lo deseen. Para los amantes del golf, Las Ventanas al Paraíso se encuentra muy cerca de cinco excelentes campos. El resort tiene dos canchas de tenis y programas de instrucción impartidos por Peter Burwash International, una de las firmas más reconocidas del mundo. Además, maestros de yoga, entrenadores personales y equipos para ejercicios cardiovasculares y de resistencia complementan el programa de acondicionamiento físico del hotel.

The pre-Columbian sound of a giant conch shell signals guests to grab binoculars and cameras: the great whales are offshore. For those in their suites at that moment, they can use the telescope found in the accommodation. For stargazers, the resort also offers an advanced computerized telescope for unmatched viewing of the heavens. Golfers especially enjoy Las Ventanas al Paraíso for its close proximity to five courses in the area. For tennis buffs, the hotel has two courts and professional training programs by Peter Burwash International, one of the top names worldwide. The resort additionally has qualified yoga instructors, personal exercise trainers, and a full range of the best resistance and cardiovascular equipment available.

El renombrado Spa va más allá de los servicios regulares, como masajes o limpiezas faciales: aquí encontrarás tratamientos de belleza innovadores. Las vendas anticelulíticas de nopal o un masaje curativo de cristales holísticos son un par de ejemplos de los excepcionales servicios que se ofrecen en este Spa.

The renamed spa goes far beyond the traditional services one might expect. Here you will find the absolute latest in innovative beauty treatments and body therapies. Cactus anti-cellulite wraps or a healing massage with crystals are just a couple examples of the spa's holistic approach.

LA CASA DE
LA MARQUESA

QUERÉTARO

MEMORIA

Según la leyenda, no hubo marquesa, sino un marqués enamorado. En 1753 llegó a Querétaro el noble español Don Juan de Urrutia y Arana, Marqués de la Villa del Villar del Águila. Dicen que allí se enamoró de una bella monja clarisa, pero que al no corresponder ésta a sus pretensiones, el marqués construyó enfrente del convento un hermoso palacio para que al verlo, la monja se acordara de él. La leyenda termina aquí, pero al contemplar esta hermosa construcción, uno tiene la certeza de que la monja se volvió marquesa. Hoy en día, ésta misma casa, convertida en hotel en 1995, sigue siendo uno de los edificios más celebrados de Querétaro, ciudad histórica, reconocida por la UNESCO como Patrimonio Cultural de la Humanidad.

Convertir la piedra en agua, ese era el deseo de los masones andaluces que tanto influenciaron la arquitectura española, importada a México en tiempos de la Colonia. Los arcos del lobby de La Casa de la Marquesa ejemplifican el estilo mudéjar, que mezcla los elementos cristianos con los árabes y los judíos, y que al llegar a las Américas, se mestizó con la estética local.

ILUSTRE RESPLENDANT TRADITION

According to legend, there was never a love-stricken marquise that gave name to this hotel, but rather a marquis. In 1753, a Spanish nobleman arrived in Querétaro known as Don Juan de Urrutia y Arana, Marquis de Villa del Villar del Aguila. The story goes that he fell in love with a Clarist nun. Despite his intentions, she did not return his favor. Undeterred, the marquis built a beautiful palace directly in front of the convent so as to be ever present in her thoughts. Although the legend ends here, popular belief has it that the nun eventually became a marquise —which is understandable when you see the palace. Converted into a hotel in 1995, this is still one of the most remarkable pieces of architecture in Querétaro, a World Heritage Site steeped in history and beauty.

"To turn stone into water," that was the never-ending pursuit of the Andalusian master stonemasons who so deeply influenced the Spanish architecture brought to Mexico during the colonial era. The lobby arches in La Casa de la Marquesa are typically Mudejar in style, which is a mixture of Christian, Arabic and Jewish elements, but in this case also reflects a distinctly local treatment.

Cada habitación contiene una combinación única de mobiliario y objetos antiguos: enormes roperos de caoba, sillones tapizados con sedas, mesas centenarias de noble abolengo, se asientan sobre el cálido suelo de madera, tapizado con alfombras persas. La Casa de la Marquesa está impregnada de la atmósfera del pasado, que también se respira por todo el centro histórico de Querétaro.

Accommodations are decorated with a unique combination of furniture and antiques, which include oversized mahogany armoires, silk covered chairs, centuries-old tables of noble ancestry, and wood plank floors covered with Persian rugs. La Casa de la Marquesa is impregnated with the past, which you also experience throughout historic downtown Querétaro.

Los azulejos poblanos que animan la escalinata, y la capilla de la Virgen de Guadalupe sólo podrían ser mexicanos.

The hand-painted "talavera" tiles from Puebla that embellish the stairways and chapel of the Virgin of Guadalupe are unmistakably Mexican.

Pasatiempo favorito de reyes y nobles, la caza es el tema decorativo del bar Don Porfirio, donde también se muestra una interesante colección de espadas y sables. Tema recurrente, puesto que la especialidad del restaurante son los platillos de caza, como venado o aves silvestres.

Hunting, one of the favorite hobbies of kings and nobles, is a visual theme found throughout Don Porfirio's bar; which also displays an interesting collection of period swords and sabers. The repetitive hunting motif comes from the restaurant's fame for preparing wild game, such as venison and wild birds.

RUINAS DEL REAL

REAL DE CATORCE

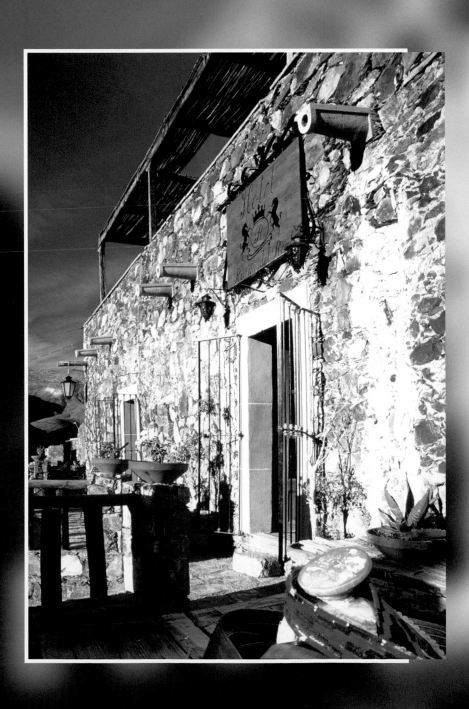

En 1986, a los 17 años, Jorge Enrique Álvarez Chávez visitó por primera vez Real de Catorce, un antiguo

pueblo minero en las montañas de San Luis Potosí, y desde entonces ha regresado todos los años,

cautivado por la belleza mística del lugar. En 1998, junto con su socio y amigo Martín Mora Campos,

compró un antiguo mesón construido a finales del siglo XVIII, totalmente en ruinas, pero con una

de las mejores panorámicas del pueblo. Dicen que uno no escoge a Real, sino que Real te escoge a ti.

Definitivamente, los fundadores de este hotel fueron elegidos con honores, y el éxito de su empresa

es la prueba de esto.

Como en Potosí de Bolivia, en San Luis también se encontró abundante plata. Real de Catorce

era un pueblo minero, que alcanzó su máximo esplendor en el siglo XVIII, cuando llegaron grandes

cantidades de aventureros para tratar de enriquecerse con el comercio del preciado metal. Pero mucho

antes que todo esto, también era un lugar especial para los indios Huicholes de Jalisco y Nayarit, quienes

todos los años, y desde tiempos inmemoriales, recorren en peregrinación ritual los 450 kilómetros

que les separan de Wirikuta, -palabra huichol, que significa "campo de flores"- su montaña sagrada.

MÍSTICA MYSTICAL BEAUTY

Jorge Enrique Alvarez Chávez visited Real de Catorce for the first time in 1986, when he was 17 years old.

Captivated by the magical beauty of the small mountain mining town in San Luís Potosí, he returned

every year after that. In 1998 he bought the old 18th century inn with his partner and friend, Martín Mora

Campos. Although it was completely in shambles, it had one of the best views in town. Popular lore has it

that you do not choose Real, but rather Real chooses you. If the success of this hotel is any indication of

the truth behind that saying, then the founders of this hotel were chosen with honors.

As in Bolivia's Potosí, abundant silver was found in San Luis as well. As a mining town, Real de Catorce

prospered in the 1700s when large numbers of adventurers arrived with the idea of getting rich in the

silver business. Long before the mining frenzy, however, this was a revered site by the Huichol Indians

from Jalisco and Nayarit, who every year since time immemorial make a ritual pilgrimage of nearly

300 miles between their settlements and the sacred Wirikuta mountain -which rises behind the hotel

-"Wirikuta" in Huichol means "field of flowers".

pasado -¿o soñado?-,
una **realidad** paralela

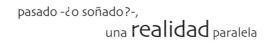

Las vigas, de las que ya no se encuentran en México, los pisos de barro, la ausencia de televisión o teléfono, la iluminación tenue, las terrazas; todo evoca un tiempo pasado -¿o soñado?-, una realidad paralela a la rutina ordinaria. Desde la parte de atrás del hotel, se contempla la montaña de Wirikuta y la inmensidad del desierto.

The enormous wooden beams -unlike any found in Mexico anymore- the terra cota tile floors, absence of television and telephones, subdued lighting, large open terraces…everything evokes a sense of a bygone era. Or is it really just a dream… a parallel reality to everyday life? The view from the hotel of the Wirikuta mountain range and the desert is breathtaking.

El hotel tiene 12 habitaciones y 3 suites, que llevan el nombre de estrellas de cine que las han visitado: Julia Roberts, Brad Pitt y Gene Hackman. El ambiente es acogedor y cálido, protegido del clima frío del exterior (las montañas que rodean el pueblo tienen mas de 3,000 m de altura). El personal consigue que con su trato, cada huésped se sienta único, y que la experiencia sea irrepetible.

The hotel has 12 rooms and 3 suites, each named after one of the Hollywood stars that have stayed here: Julia Roberts, Brad Pitt and Gene Hackman. The atmosphere is homey and warm -a pleasant shelter from the cold that comes down from the nearly 10,000 ft. mountain peaks. The hotel staff makes every guest feel special with their unforgettable hospitality.

El café-bar Charco de las Risas inspira a las conversaciones animadas, interesantes, a las pláticas inolvidables. Otro dicho menciona: "Quien llega a Real, siempre y sin saber por qué, regresa." Tal vez los visitantes regresen por contemplar una vez más el caleidoscopio del desierto, que cambia cada vez que lo miras. O tal vez sea por la deliciosa comida italiana del restaurante del hotel, "El Eucalipto", su jamón serrano casero o el conejo a las hierbas.

On another note, the Charco de las Risas cafe/bar inspires lively conversation. Another saying goes, "Whoever comes to Real always comes back, but without knowing why." Perhaps visitors return to contemplate the constantly changing kaleidoscopic colors of the desert one more time. Or maybe it is the hotel's restaurant, "El Eucalipto," with its delicious Italian food, homemade Serrano ham or rabbit in herbs.

Los clientes de Ruinas del Real, por lo general, son gente del arte, músicos, pintores, actores, buscadores de inspiración de cualquier tipo, y regresan una y otra vez. Doña Jesusa Rodríguez lo dice con gran elocuencia: "Los días que hemos pasado con ustedes han sido maravillosos; gracias por su generosidad y por permitirnos entrar en este sueño hecho ruinas, estas ruinas soñadas, estos charcos de risas suyas."

The type of guest that stays at Ruinas del Real is generally connected somehow with the arts. Whether musicians, painters or actors, they all find inspiration here and return on a regular basis. Doña Jesusa Rodríguez described the hotel with great eloquence, "The days we have spent with you have been marvelous. Thank you for your generosity and for allowing us to experience this dream become ruins, these ruins become a dream, and the reflection of your smile."

QUINTA
LAS ACACIAS

GUANAJUATO

En la época del Porfiriato, a finales del siglo XIX, México, al igual que otros países del mundo, sintió la influencia de Francia y lo francés. Fue entonces, en 1890, cuando el renombrado ingeniero Alberto Malo construyó su residencia veraniega a las afueras de Guanajuato, en un lugar privilegiado, con unas excelentes vistas panorámicas de los alrededores. Casi un siglo después, los hermanos Ismael y Javier Pérez Ordaz adquirieron la casona en ruinas y comenzaron un laborioso proceso de restauración y rescate de la arquitectura y diseño original del edificio que duró doce años. El exquisito trabajo de las barandas de la casa es un trabajo del original constructor, Alberto Malo, quien además de ingeniero de éxito, era un talentoso aficionado a la ebanistería.

Jorge Negrete, en 1998, escribió en el libro de comentarios: "El ambiente, la decoración, el confort de este lugar están hermanados con el toque de buen gusto, la originalidad, y la paz interior que generan los compases de la buena música. Todo aquí es armonía." Los aires afrancesados del siglo XIX se respiran por los interiores y los jardines.

SERENIDAD Y DISTINCIÓN SERENITY & DISTINCTION

Many countries at the end of the 19th century were deeply influenced by everything French. Mexico, under the iron rule of Porfirio Díaz as its president, was no exception. In 1890 the renowned engineer Alberto Malo chose a beautiful piece of property on the outskirts of Guanajuato with great regional views for building his summer home. Nearly a century later, brothers Ismael and Javier Pérez Ordaz acquired the deteriorating shell of this onetime mansion and began a laborious 12-year process of rescuing and restoring the building to its initial splendor. The exquisite banisters are the work of the original builder, Malo, who in addition to being an engineer was a very talented woodworker.

The famous Mexican actor Jorge Negrete wrote in the hotel's Comments Book that "the ambiance, decoration and comfort of this place are on a par with the good taste, originality and inner peace generated by good music. Everything here is harmony." Inside and out the home exudes turn of the century French influence.

Quinta Las Acacias sirve principalmente a dos tipos de clientes: personas de negocios entre semana, y parejas que vienen a disfrutar por unos días la tranquilidad del hotel y los atractivos de la zona, que son muchos: el clima ideal, los monumentos arquitectónicos, el Festival Cervantino o la temporada de la Orquesta Sinfónica de Guanajuato. Velas, flores frescas, y otros detalles decorativos son proporcionados por el personal, siempre discreto y atento a las necesidades de los huéspedes.

Quinta Las Acacias mainly serves two types of customers: business travelers during the week and couples that come on the weekend to enjoy the privacy and area attractions, such as the Cervantes Festival, the seasonal program of the Guanajuato Symphonic Orchestra, outstanding colonial architecture, and of course a very pleasant climate. Candles, fresh flowers and other decorative details are provided by the hotel's staff who are distinguished by a fine sense of discretion and attentiveness to the needs of their guests.

Algunas de las habitaciones están decoradas en un estilo puramente mexicano, mientras que en otras todos los muebles y detalles son de origen europeo. Quinta Las Acacias se regresa a la elegancia del pasado, pero al mismo tiempo contiene todos los lujos y comodidades del presente -jacuzzi, aire acondicionado, TV satélite, conexión de internet...-

While some of the rooms are decorated in a pure Mexican style, the furnishings and details of others are clearly European. Quinta Las Acacias is a return to the elegance of the past with all the amenities and luxuries of the present –Jacuzzis, air conditioning, satellite TV, Internet, etc.–

El maestro de cocina Pedro García ha compuesto el menú del restaurante, y en él se combinan las recetas de familia con clásicos de la cocina internacional. Este tiene capacidad para veinte comensales, y es un espacio elegante, íntimo y muy acogedor. La calidad del servicio es excelente. El desayuno, la comida y la cena pueden ser servidas en cualquiera de las áreas que integran el hotel, ya sea en la propia habitación, en el jardín o en la terraza frente al jacuzzi.

Master Chef Pedro García has created a menu that combines family recipes with international classics. The restaurant can handle up to 20 people and the quality of the service personnel is excellent. Breakfast, lunch or dinner can be served in any part of the hotel, be it in the privacy and comfort of your own room, in the garden, or on the terrace next to the Jacuzzi.

CEIBA DEL MAR

PUERTO MORELOS

Este majestuoso hotel, localizado a veinte minutos al sur del aeropuerto de Cancún, goza de la tranquilidad de una larga playa de la Riviera Maya, a un lado del pequeño pueblo pesquero Puerto Morelos y muy cerca de Playa del Carmen. Rodeado de selva y mar, además de paz, ofrece otros muchos atractivos y es sobre todo reconocido por su spa, que combina métodos tradicionales con las técnicas más avanzadas en el mundo de la relajación y la recuperación integral. Por sus instalaciones y su ubicación, Ceiba del Mar es elegido cada año por eminentes personalidades para organizar seminarios. El concepto del hotel combina el lujo con la tranquilidad. Ceiba del Mar ha recibido varios reconocimientos por su impecable servicio y dedicación, y comparte honores con hoteles tales como Ventanas al Paraíso, Los Cabos, Ritz-Carlton, y otros prestigiados hoteles del mundo. El compromiso es el de ofrecer una amplia gama de comodidades para facilitar la estancia al cliente, y también proponer nuevas formas de descansar en un entorno de alta calidad.

LUJO SOFISTICADO
SOPHISTICATED LUXURY

Offering visitors the tranquility of a large beach on the Mayan Riviera, this exquisite hotel is located next to the small fishing village of Puerto Morelos and very near Playa del Carmen, just 20 minutes south of the Cancun airport. In addition to being embraced by abundant tropical vegetation and fronted by the Caribbean Sea, this boutique hotel offers many attractions. It is especially known for its spa, which combines traditional therapies with the latest treatments and methods for an experience in total pampering.

The hotel's concept combines peace and luxury. Ceiba del Mar has received various awards for its impeccable service and dedication to guest satisfaction, adding it to an exclusive roster of fine hotels like Las Ventanas al Paraiso, Los Cabos, Ritz-Carlton, and a limited number of other premier resorts in the world. The hotel's mission is to offer a wide range of amenities that assures each guest's stay is as enjoyable as possible and to provide new ways for relaxing in a high quality environment.

Cada uno de los ocho edificios que lo componen cuenta con servicio de recepción, terraza en el techo con jacuzzi, bar y otras facilidades, para mayor comodidad de los huéspedes. Bicicletas y kayacks están disponibles para los que deseen aventurarse por los alrededores del hotel, donde hay mucho que descubrir: templos mayas, deportes acuáticos, reservas ecológicas y paseos en barco, entre otras cosas.

Each of the eight buildings that make up this quaint resort have their own reception service, rooftop terrace with Jacuzzi, bar and other amenities for their guests' comfort and enjoyment. Bicycles and kayacks are available for exploring nearby attractions and activities, which include Mayan ruins, watersports, bioreserves and boat rides.

buscando el mayor beneficio
para cada cliente

Entre los tratamientos del spa, algunos de los más populares son el Temascal, el masaje de fango, el facial de limpieza profunda y la mascarilla corporal de algas, que reduce la celulitis y estimula la circulación. En todos ellos se emplea aromaterapia y aceites seleccionados buscando el mayor beneficio para cada cliente. Además, el Spa cuenta con clases de yoga, pilates, tai Chi, equipo cardiovascular, y varios tipos de saunas. Todo esto lo hace ser uno de los más completos centros de salud de México.

Among the heavenly pleasures at the spa some of the most popular are the Temascal therapy, mud massage, deep cleansing facial and the full body seaweed treatment that reduces cellulite and stimulates circulation. Aromatherapy and oils are selected especially for each client's needs for every treatment. The spa also has yoga classes, pilates, Tai Chi, cardiovascular equipment and different types of saunas. This is one of the most complete health centers in Mexico.

Los tres restaurantes en las premisas dan gran variedad de opciones para comer, y también se ofrecen, con previo aviso, románticas cenas a la luz de las velas en la playa, en la terraza o en la propia habitación.

The three restaurants offer an eclectic choice of dining options in addition to romantic candlelight dinners on the beach or terrace of your own room.

NA BALAM

ISLA MUJERES

El pueblo maya ha considerado este lugar como un templo natural, un santuario donde se celebra la fertilidad, la lluvia, el agua… Isla Mujeres, hoy en día sigue siendo una de las más bellas islas del Caribe Mexicano. En la punta norte de la isla, Lilia Robles-Martínez tuvo la visión de construir su pequeño hotel, con la colaboración de sus hijos Santiago y David, con diferentes arquitectos locales pero siempre dirigidos por ella. Abrieron las puertas en 1988, pero ese mismo año el huracán Gilberto arrasó el Caribe, llevándose el hotel recién inaugurado a su paso. Así que, en el primer año de su vida, Na Balam tuvo que ser reconstruido, pero desde entonces nada ha vuelto a romper el reposo de la isla, salvo la visita de algunos personajes famosos. Últimamente el hotel a sido remodelado y decorado por Leonardo Mendizabal, el actual director, cada detalle de este hotel está coloreado por el concepto de relajación absoluta y descanso. Grupos de yoga escogen Na Balam para realizar sus retiros, tanto por las instalaciones como por el ambiente espiritual que penetra la isla.

ESPÍRITU NATURAL
NATURAL SPIRIT

For centuries the Mayas considered this place to be a natural temple and sanctuary for worshipping fertility, rain and water. Isla Mujeres is still one of the most beautiful islands of the Mexican Caribbean. Lilia Robles-Martinez chose the northern part of the island to build a small hotel. And that is exactly what she did with the help of her sons Santiago and David and different local architects. Having overseen every aspect of the project herself, she opened her hotel in 1988, the same year that hurricane Gilbert came through the Caribbean, taking the recently opened hotel with it. As a result, the first year at Na Balam was dedicated to rebuilding. Fortunately nothing else has happened on the island since then, except perhaps for the appearance of a famous celebrity or two. The hotel has recently been remodeled and redecorated by Leonardo Mendizabal, the current General Manager. Every color in this hotel has been chosen for optimum rest and relaxation. Yoga groups choose Na Balam for their retreats as much for the facilities as for the island's spiritual energy.

Entre 15,000 m² de naturaleza tropical, sólo hay 31 habitaciones, asegurando la intimidad y la sensación de aislamiento. Na Balam es también un escenario ideal para las bodas más originales, y ofrece excelente ayuda a la hora de organizar los detalles.

El personal del hotel, siempre atento, pero sin obstruir la intimidad, ha recibido numerosas felicitaciones de los clientes, que regresan año tras año desde muchos lugares del mundo.

There are only 31 rooms distributed among nearly four acres of tropical paradise, assuring intimacy and a sense of total privacy. The resort staff has received numerous recognitions from guests that return year after year. Na Balam is also an ideal choice for weddings and is very helpful in coordinating the details for the event.

Zazil-ha,
uno de los mejores restaurantes de la isla

Na Balam es casa de uno de los mejores restaurantes de la isla, el Zazil-ha, donde la chef Andrea Fernández se ha ocupado en fusionar los elementos culinarios mayas y peninsulares con lo mejor de los métodos de cocina internacional. El pan, yoghurt, granola y pan dulce se elaboran a diario en casa, y los desayunos se sirven en palapas rodeadas de exuberante vegetación.

Na Balam is home to one of the best restaurants on the island, Zazil-ha, where master chef Andrea Fernández creates a delicious fusion of Mayan culinary elements and regional cuisine with the best international gourmet recipes. Bread, yogurt, granola and pastries are homebaked daily in-house. Breakfast is served in palapas on the beach surrounded by lavish jungle vegetation.

El agua del mar cristalina y tranquila como una alberca, clima delicioso, intimidad: Isla Mujeres es el templo de la mujer, y también un lugar perfecto para el encuentro.

Enclavado en una de las mejores playas del Caribe Mexicano, bendecido con uno de los climas más agradables del planeta, es un lugar que invita a la meditación, al descanso y a la serenidad.

The seawater is clear and calm like a swimming pool, the intimacy as warm as the climate. Dedicated to the worship of women, Isla Mujeres is a perfect place for romance.

Nestled along one of the Mexican Caribbean's most beautiful stretches of beach and blessed with one of the most pleasant climates on the planet, this is a place that invites contemplation, rest and tranquility.

SECRETO

ISLA MUJERES

La esencia de este hotel viene implícita en su nombre. Discreto, casual, pequeño, ni siquiera una señal a la entrada delata su existencia. Podría ser cualquier casa privada junto al mar, pero es en realidad uno de los hoteles más elegantes de México, seleccionado entre los 50 mejores del mundo por la revista Condé Nast Traveler, y entre los 10 primeros por Mujer Nueva. Está ubicado en un afortunado rincón de Isla Mujeres, a siete millas de la costa de Cancún, en la parte norte de la isla. La brisa marina es constante (y por esta razón no hay moscos, pequeño detalle que puede arruinar cualquier vacación junto al mar Caribe). Scott Boyan abrió su hotel en 2001, el día de Navidad. Él mismo diseñó Secreto, y lo construyó con la ayuda de dos arquitectos de Mérida, Santiago Cabañas y Javier Muñóz. Su fascinación con la forma de entablar relación entre la arquitectura y el paisaje, y con el trabajo de Ian Schrager y Philippe Starck (el Delano de Miami, el St. Martins Lane de Londres, el Hudson y el Paramount de Nueva York), se ve reflejada en su propio hotel. La atención a los detalles, las formas contemporáneas, la sensualidad mediterránea, hacen de éste un lugar ideal para unos días de ensueño en la playa.

SENSUALIDAD MEDITERRÁNEA
MEDITERRANEAN SENSUALITY

The name says it all. Discreet, casual, petite, not even an entrance sign revealing its existence. What appears to be a private seaside home is in reality one of the most luxurious boutique hotels in Mexico. Selected by Condé Nast Travelers as one of the 50 best hotels worldwide, and one of the 10 best in the magazine Mujer Nueva. Secreto is located in a secluded corner in the northern part of Isla Mujeres, seven miles off the coast of Cancun. The balmy sea breeze is constant and keeps the mosquitoes away (a small but important detail for a Caribbean vacation). Owner Scott Boyan opened the hotel on Christmas Day, 2001. He designed and built it with the help of two architects from Mérida, Santiago Cabañas and Javier Muñóz. His fascination with blending architecture with the natural landscape, and the work of Ian Schrager and Philippe Starck (of Miami's Delano, London's St. Martins Lane, and New York's Hudson and Paramount fame) can be seen in his own hotel. The attention to detail, contemporary forms and Mediterranean sensuality make this an ideal place for a few dreamy days on the beach.

En Secreto, se puede abrir la terraza por la noche y dormirse arrullado por el sonido de las olas en cualquier época del año, sin la preocupación de los insectos desagradables.

At Secreto you can leave your terrace doors open at night and let the sound of the waves lull you to sleep without having to worry about airborne visitors.

Aunque el hotel no tiene bar ni restaurante en las premisas, se sirven bebidas, desayunos, comidas y cenas en las habitaciones o al lado de la piscina. Un afamado restaurante de la zona, el Rolandi's, colabora con Secreto. Masajes y faciales son disponibles con cita previa. Lo que sí tiene el hotel es su propio barco, y un maestro de buceo para los aventureros que quieran ver por si mismos las maravillas sumergidas de la isla.

The hotel does not have a restaurant or bar, however, drinks, breakfast, lunch and dinner are served in-room or poolside by Rolandi's, the renowned eatery in the area. Delightful massages and facials are available by appointment. What Secreto does have is its own boat and a certified diving instructor for adventurers that want to experience the underwater wonders off shore.

Entre las actividades que ofrece el hotel y su entorno, una de las predilectas es nadar con delfines. Otros atractivos son las ruinas mayas de Chichen-Itzá y Coba, las reservas naturales y parques ecológicos como Xcaret y Xel-ha, y la pesca deportiva. Enclavado en un lugar afortunado, es el hotel ideal para conocer todas las maravillas de la zona o simplemente para relajarse y disfrutar de unos días de playa. Sereno y romántico, Secreto ofrece aventura y tranquilidad al mismo tiempo.

Among the activities found at or nearby the hotel, one of the favorites is swimming with dolphins. Other attractions include the spectacular Mayan ruins at Chichén-Itzá and Coba, the nature reserves and ecoparks of Xcaret and Xel-ha, and sport fishing. Nestled in a privileged natural setting, the hotel is ideal for exploring the island's magic or simply enjoying some worry-free downtime under the sun. Serene and romantic. Secreto is a rare combination of peace and adventure.

EL SUEÑO

PUEBLA

Esta casa, impregnada de leyendas y cimentada con milagros, fue construida en el siglo XVIII, en pleno auge del Barroco. Dicen que el arcángel San Miguel dirigió el trazo de la ciudad de Puebla, y después de tan arduo trabajo, se echó a descansar bajo un sauce. Al despertar, once plumas de sus alas cayeron sobre la tierra, de donde surgieron once árboles. Las vigas de la casona fueron fabricadas con ellos.

Al terminarse la construcción, brotó del patio una fuente de agua, y desde entonces, quien se vea reflejado en ella, cumplirá sus sueños.

El edificio ha sido recientemente remodelado, respetando los elementos históricos pero introduciendo lo contemporáneo en los detalles arquitectónicos, en el diseño minimalista del mobiliario, y en todas las amenidades que se ofrecen en el hotel. La ubicación permite visitar cómodamente el Centro Histórico de Puebla, una de las ciudades con más tradición de México, centro cultural y culinario de gran importancia. El Sueño se encuentra a unos pasos del famoso Museo Amparo, y a un par de calles del zócalo, la catedral y los más importantes atractivos turísticos, como el viejo barrio de los Sapos, zona tradicional de los anticuarios.

FANTASIES & MIRACLES FANTASÍAS Y

Steeped in legend and built on miracles, this house was constructed in the 18th century at the height of the Mexican Baroque. It is said that the archangel Saint Michael directed the layout of the city of Puebla and after completing this monumental task slept beneath a willow. Upon arising, 11 feathers had fallen from his wings and 11 trees had grown where they lay. Supposedly the great wooden beams of this spacious home were hewn from them, and once the construction was finished, a fountain of water sprouted from the patio. Since then, whoever sees their reflection in the pool will have their dreams come true. The building has been recently remodeled, respecting original elements while incorporating contemporary details such as minimalist furnishings and amenities.

The hotel's location makes it very convenient for exploring Puebla's Historical Center. Puebla is not only one of Mexico's richest towns in both culture and tradition, but is also renowned for its regional cuisine. El Sueño is just a few steps from the famous Amparo Museum and a couple of blocks away from the zocalo, or town square, the cathedral and other tourist attractions like the old Sapos neighborhood, widely known for its antique shops.

MILAGROS

Primero sueño...

Oh de la Majestad p...
que aún el menor desc...
Causa quizá que ha h...
circular denotando la ...
en círculo dorado,
...án es no men...
...sueñe to..., en fin,
...en...el silencio...

Cada una de las once suites de El Sueño está dedicada a una mujer diferente. Once soñadoras célebres e inspiradoras, tales como Antonieta Rivas Mercado, Frida Kahlo, Remedios Varo, Tina Modotti, Sor Juana Inés de la Cruz o Isadora Duncan, hacen honor a este hotel, en donde se fomenta la imaginación y el poder de la fantasía. Al igual que estas mujeres únicas, cada una de las habitaciones de El Sueño es irrepetible, e invitan a regresar para conocerlas a todas.

Each of El Sueño's eleven suites is dedicated to a different woman. Celebrated dreamers such as Antonieta Rivas Mercado, Frida Kahlo, Remedios Varo, Tina Modotti, Sor Juana Inés de la Cruz and Isadora Duncan, do honor to this hotel where free reign is given to fantasy and imagination. Each of El Sueño's accommodations is as unique as the women whose names they carry, inviting the traveler to return again and again to get to know them all.

MIS SUEÑOS FLUYEN A TRAVÉS DE LA LENTE Y SE CRISTALIZAN EN TUS PUPILAS...

Se ha conseguido un equilibrio sorprendente entre el edificio original y los elementos modernos. El uso de la madera, el aluminio y el cristal dieron como resultado espacios eclécticos y fuera de serie, lo que produce un ambiente sobrio y acogedor, siempre custodiado por las torres de la Catedral Angelopolitana.

An amazing balance has been achieved between the original structure and modern elements. The use of wood, aluminum and glass create an eclectic collection of styles that lend a sober yet warm touch to the hotel and the sight of the famous twin towers of the city's Angelopolitan's Cathedral.

Lounge atmósfera conceptual

En el lounge, donde se ofrecen los servicios de cafetería, bar y barra de martinis, los restos de un fresco del siglo XVIII flotan en la atmósfera conceptual y joven del lugar.

In the lounge, where the remains of an 18th century fresco seemingly floats in the youthful, conceptual atmosphere of the place, one can find food service, a top-shelf bar and a martini bar.

MESONES
SACRISTÍA

PUEBLA

Casona la Compañía y Capuchinas son dos pequeños hoteles boutique de gran lujo enclavados en el centro histórico de Puebla, los cuales constituyen Mesones Sacristía, un nuevo concepto en hostelería. Casona la Compañía fue establecida en 1994, en el marco de una casa de vecinos del siglo XVIII, ubicada en el corazón del Barrio de los Sapos, una de las zonas turísticas por excelencia de la ciudad de Puebla, y centro tradicional de los comerciantes de antigüedades. La Compañía posee una galería que ha sido negocio tradicional de la familia Espinosa por cuatro generaciones. El hotel hermano de la Compañía, Casona Capuchinas, combina épocas para ofrecer una calidad incomparable. En una casona del siglo XVII, siete suites de estilo contemporáneo de inmejorable diseño, y su restaurante exclusivo para huéspedes, generan un ambiente ideal para el descanso y la relajación. Ambos hoteles, aunque diferentes entre sí, están encausadas a superar las expectativas de los clientes a través de un servicio ejemplar, a cargo de sus hospitalarios anfitriones.

La Compañía, tradicional y alegre; estéticamente representa un regreso al pasado colonial y mestizo de México. Capuchinas, por otro lado, ofrece quietud y tranquilidad en un entorno contemporáneo y vanguardista. Dos alternativas que cubren diferentes gustos, desde donde es posible explorar todo lo que la contrastante Puebla ofrece a sus visitantes.

TESORO COLONIAL
COLONIAL TREASURE

Casona la Compañía and Capuchinas are two small luxury hotels nestled in the historical downtown section of the city of Puebla. Together they make up Mesones Sacristía, a new lodging concept. Casona la Compañía began receiving guests in 1994 in an 18th century home located in the heart of the Barrio de los Sapos section of town, one of the most popular tourist zones in Puebla and a traditional center for antique merchants. Casona Capuchinas, the sister hotel of Casona la Compañía, combines period building styles into a lodging experience of incomparable quality. While these two hotels are different, both share a common mission of surpassing their guests' expectations through a very personal style of service. La Compañía -traditional and upbeat-esthetically represents a return to Mexico's colonial, "mestizo" past; while Capuchinas offers a more contemporary, refined, peaceful setting. Like the extreme contrasts often found in Puebla itself, these hotels are two distinct alternatives for differing tastes.

Si disfruta de la arquitectura apreciará como los elementos y conceptos vanguardistas se funden expresivamente con la arquitectura colonial.

If you enjoy architecture you will appreciate how modern design elements and concepts have been carefully fused with the colonial architecture here.

un verdadero rincón para el deleite

de los sentidos

La ecléctica decoración de su restaurante, también compuesta por antigüedades a la venta, hace de este lugar un verdadero rincón para deleite de los sentidos. En él, se sirve lo más representativo de la cocina típica poblana, dentro de un ambiente de fiesta y tradición, amenizada con música en vivo.

The eclectic decoration of the restaurant, also made up of antiques for sale, makes this place a real delight for the senses. Here you can enjoy the most representative dishes associated with "Poblana" cuisine in a festive, customary setting with live music.

El ambiente rústico de las habitaciones en Casona la Compañía ofrece una experiencia fascinante y diferente. Seis habitaciones y dos suites, conforman este nuevo concepto en hotelería, donde cada espacio tiene su propio encanto.

The rustic feel of Casona la Compañía accommodations offers a charming yet different experience. This unique hotel only has six rooms and two suites, each with its own special charm.

HOTELITO
DESCONOCIDO

JALISCO

Un día, Marcello Murzilli, diseñador y empresario italiano, decidió vender su compañía multimillonaria y navegar por los mares. Durante dos años hizo esto, hasta que colgó su sombrero en un paraíso ecológico a unos 70 kilómetros al sur de Puerto Vallarta. Por tres años, Marcello trabajó con los locales y luchó contra gobiernos y compañías de seguros incrédulos y pesimistas, para construir su hotel con barro y bambú, sin electricidad, pero con energía solar, inspirado en unos modelos de palafitos veracruzanos que vio en el Museo Nacional de Antropología.

Ahora el gobierno de México le está proponiendo construir otros centros como éste en diferentes lugares de la República. Su idea de hotel no sólo es ecológica y no daña al medio ambiente, sino que ayuda a preservarlo con su constante vigilancia. Un ejemplo: en la laguna de Hotelito, lugar de residencia de unas 150 especies de aves, se vigila y controla el uso de motores.

CONTACTO NATURAL IN TOUCH WITH NATURE

One day, an Italian designer and businessman, Marcello Murzilli, decided to sell his multi-million dollar company and sail the seas. After two years he hung up his captain's hat next to a pristine lake about 45 miles south of Puerto Vallarta in an ecological paradise. For the following three years Marcello worked with the locals, fought against government bureaucracies at all levels and worked to sell unbelieving, pessimistic insurance companies on his idea to build a solar-powered clay and bamboo hotel based on the Veracruz lake dwellings he had seen at the National Museum of Anthropology. He succeeded, and today Mexico's federal government is proposing the construction of other resorts like this one in other parts of the country. His concept of a hotel is not only ecologically and environmentall friendly, but also helps to preserve nature . One example of this commitment is that motorized boats are prohibited on the resort's lake which is home to over 150 species of birds.

A pesar de la falta de electricidad, del aislamiento, y de la conciencia ecológica del hotel, la comodidad de los huéspedes es primordial. A veces, en algunos eco-hoteles, uno se siente parte de un experimento de "vida en la jungla": la estancia se convierte en un esfuerzo ininterrumpido por acatar decenas de reglas y soportar incomodidades. Nada de esto ocurre en Hotelito Desconocido, donde el lujo, la comodidad y el respeto por la naturaleza han encontrado un nuevo equilibrio.

Despite the absence of electricity, seclusion from civilization and even the ecological mindset, the guest's comfort is clearly first and foremost. In certain eco-hotels you feel like part of a "life in the jungle" experiment, and your stay becomes more of an effort not to break the endless rules and to support the endless inconveniences. None of that exists at Hotelito Desconocido, where luxury, comfort and respect for nature have found a new balance.

es como ir de camping pero con
detalles de lujo...

Hotelito está aislado, lejos de centros turísticos, tiendas, discotecas o restaurantes; allí es fácil encontrar tranquilidad y sentirse lejos de todo. Es realmente como ir de camping, pero con detalles de lujo. En la playa el pequeño restaurante "Nopalito", ofrece botana, comida y servicio de bar durante el día. La comida es excelente, planeada -o improvisada- a diario por las doñas de la cocina a quienes bajo la supervisión del chef, les gusta usar los ingredientes locales y disponibles en ese momento.

Hotelito is secluded, far from busy tourist centers, stores and restaurants. Feeling removed from it all and finding peace and quiet are easy here. It is very much like going camping but with all the creature comforts of a small luxury hotel. Another small restaurant on the hotel's beach, "Nopalito," which offers snacks, lunch and bar service during the day. The food is very good whether the menu is planned or improvised by the kitchen "doñas," who are supervised by the chef and like to get creative with local ingredients.

Las habitaciones están decoradas con objetos que provienen de todo el país, y cada una está inspirada en diferentes cartas de la lotería mexicana. Uno de los detalles más agradables son las duchas al aire libre con paredes de bambú. Se sirve café en las habitaciones de 8 a 10 de la mañana con un simpático método de comunicación al izar una bandera y recibir a un sonriente mesero a su puerta .

Rooms are decorated with objects collected from around the country and inspired by the different images in the traditional Mexican Lottery card game. One of the most delightful details are the outdoor bamboo showers. Delicious fresh-brewed coffee is served in-room between 8 and 10 in the morning; by raising a flag you get an answer from a smiling waiter at your door room.

La contemplación de la naturaleza es sólo una de las actividades que ofrece este fantástico hotel. La oferta es variada: montar a caballo, paseos en kayak o barco de vela, windsurfing, ciclismo de montaña, billar, volleyball playero, spa, trekking y muchas otras sorpresas.

La propuesta arquitectónica juega con la vegetación autóctona, el clima, el agua y el paisaje. El contacto íntimo con la naturaleza es esencial, pero se trata de un contacto consciente y respetuoso. Todos los productos del hotel son reciclados o biodegradables. Funciona con energía solar, y por la noche se ilumina con más de 1,000 velas.

Contemplating nature is only one of the activities at this wonderful resort. Being bored simply does not figure into the equation. Here many extras are offered including, horseback riding, kayaking, sailing, windsurfing, mountain biking, pool, beach volleyball, a delicious spa, trekking.

The architectural design integrates the area's vegetation, climate, water and natural setting. And while enjoying an intimate contact with nature is the essence of this hotel, it is guided by a conscious respect for all living things. All of the hotel's products are recyclable and biodegradable, and the facilities are solar powered by day and illuminated by more than 1,000 candles at night.

POSADA BASÍLICA

MICHOACÁN

Antes de la llegada de los españoles a la región de Michoacán, el imperio purépecha se extendía por la zona. Pátzcuaro ha sido un importante centro urbano desde entonces, y la finca virreinal que hoy en día es la Posada Basílica fue erigida sobre un espacio sagrado para los nativos.

Su construcción data del siglo XVIII, y desde 1942 ha sido utilizado como hotel. Grande y soleado, este impresionante edificio neoclásico posee una ubicación afortunada, justo enfrente de la Basílica de Pátzcuaro, en el centro histórico. Desde la terraza se contempla una panorámica completa del pueblo y su grandioso lago. Por lo general, Pátzcuaro es un lugar tranquilo y silencioso, menos cuando hay fiestas populares o celebraciones. El pueblo encierra varios atractivos históricos, como el convento de San Agustín, el Santuario de Guadalupe o la Casa de Once Patios. A parte de ser célebre por su Día de los Muertos, Pátzcuaro es un renombrado centro artesanal, un verdadero paraíso para buscadores de productos mexicanos como cerámica, muebles, mascaras, objetos de cobre y tejidos.

DELICADEZA NEOCLASICA
NEOCLASSIC REFINEMENT

Before the arrival of the Spaniards to what is now Michoacán, Mexico, the Purépecha Empire extended throughout the region. The island city of Pátzcuaro was and continued to be an important ceremonial center, and the viceregal construction which is today the Posada Basílica, was built over sacred ground for the indigenous natives.

The original architecture dates back to the 18th century, and has been used as a hotel since 1942. Large and sunny, this impressive neo-classical building enjoys an ideal location in front of the Pátzcuaro Basílica in the city's historical center. From the terrace one has a panoramic view of the town and its beautiful lake. Pátzcuaro is normally a quiet, peaceful place, except when there are fiestas or popular celebrations. The town has various historical attractions, such as the Saint Augustine monastery, the Sanctuary of Guadalupe and the House of the Eleven Patios. In addition to being famous for its Day of the Dead festivities, Pátzcuaro is also renowned as an artisan center, a true paradise for anyone seeking fine Mexican handmade products such as ceramics, furniture, masks, copper goods and colorful woven items.

El aire es limpio, y durante todo el año las noches son frescas, o incluso bastante frías. Pero casi todas las habitaciones del hotel Posada Basílica tienen chimenea, por lo que el frío no es un problema. El amplio interior es acogedor y apacible, y cada uno de los 12 dormitorios está decorado con sencillez y delicadeza. Las grandes ventanas cuentan con postigos de madera que permiten dormir hasta bien entrada la mañana.

The air is clean and the nights are crisp, even cold year 'round. Nearly all of the rooms at the Posada Basílica hotel have a fireplace to take the edge off the chill. The spacious interior is pleasant and welcoming, and each of the 12 accommodations is decorated simply and with good taste. The large windows have wooden shutters if guests want to sleep late.

Desde el restaurante se puede apreciar una hermosa vista de los tejados de Pátzcuaro, y degustar al mismo tiempo platillos típicos de la región, elaborados según viejas recetas familiares, tales como el Kurucha Urapiti o pescado blanco del lago de Pátzcuaro, la sopa Tarasca, el requesón enchilado, o el pollo Placero, entre otras delicias.

From the restaurant you can enjoy a view of Pátzcuaro's red tile roofs while savoring typical regional dishes prepared according to old family recipes, like Kurucha Urapiti, or the white fish of Pátzcuaro Lake; Tarasca soup; cottage cheese seasoned with hot chili peppers, or chicken Placero.

Este hotel, por su tamaño y dedicación al servicio personalizado de los huéspedes, puede ser el lugar ideal para acoger fiestas familiares o realizar eventos de empresas. Es el lugar perfecto para completar un viaje por esta región de México, llena de historias y de encanto.

For its size and personal service style, this hotel is an excellent option for family gatherings or company events. It is also the perfect place to serve as the final stop on a tour of this region so deeply steeped in history and magic.

VILLA DEL SOL

ZIHUATANEJO

Desde 1995 hasta hoy, su nombre está incluido en las listas Condé Nast de los mejores hoteles de todo

el mundo. Setenta habitaciones y suites de lujo, 4 albercas, innumerables jardines tropicales donde

se esconden las casitas que forman el hotel, impecable servicio, gimnasio y spa, clases de yoga, deportes

acuáticos en una de las mejores playas de México, conforman este maravilloso lugar... Villa del Sol tuvo

un comienzo algo más modesto que su presente. Fue en 1978 cuando Helmut W. Leins abrió las puertas

de su pequeño hotel, con unas pocas habitaciones construidas con materiales de la región. Su idea era

crear un santuario para aquellos que buscan refugio de las masas, sin sacrificar ninguna comodidad.

Lo suyo fue amor a primera vista: cuando vio la encantadora playa de La Ropa, supo que éste era el lugar

perfecto para hacer realidad su proyecto. Poco a poco el hotel ha ido creciendo hasta convertirse

en uno de los más mencionados y reconocidos resorts turísticos de Latinoamérica, por no decir

del mundo, a donde los clientes regresan año tras año; qué mejor garantía que ésto.

SANTUARIO MEXICANO MEXICAN SANCTUARY

Since 1995, this exquisite boutique hotel has been voted by Condé Nast readers as one of the best resorts

in the world. 70 luxurious accommodations, 4 pools, innumerable tropical gardens hiding the resort's

casitas, impeccable service, a gym and spa, yoga classes, watersports and one of the finest beaches in

Mexico await anyone fortunate enough to stay here.

Villa del Sol had a modest beginning. In 1978, Helmut W. Leins opened this small hotel with only a few

rooms built from regional materials. His idea was to create a sanctuary for those seeking refuge

from the masses, but without sacrificing comfort. He says that he chose this particular property because

it was love at first sight. When he saw La Ropa Beach, he instantly knew this was where he was going to

make his dream come true. Little by little the hotel has grown into one of the most recommended

and renowned tourist resorts in Latin America, and the world. The number of guests that return

each year is as good a testimonial to the resort's quality.

Gracias al apoyo del arquitecto Enrique Zozaya se ha logrado un estilo decorativo con una combinación muy personal de objetos artesanales mexicanos, asiáticos y africanos, sobre un cálido fondo arquitectónico de líneas fluidas y sinuosas, que acentúan la intimidad y crean un ambiente de laberinto paradisiaco en donde el exterior se funde con el interior. Todas las habitaciones, cada una con su propia identidad, disponen de una terraza particular, y desde cualquier lugar del hotel, la playa se encuentra a unos pasos. El ambiente de las habitaciones es tan agradable que a veces los huéspedes encuentran difícil salir de ellas.

Thanks to architect Enrique Zosaya the decorative style is a very personal combination of Mexican, Asian and African handcrafted objects blended with a warm architectural concept that accentuates intimacy through a labyrinth of gracefully flowing tropical lines. Here the separation between outside and inside is skillfully eliminated. Every room is unique and has a private terrace. The accommodations are so pleasant that guests often find it hard to leave –even with the ocean but a few steps from any point in the hotel.

Por suerte, la playa tiene también su magnetismo irresistible, sobre todo cuando cae el sol. Por algo este hotel se llama como se llama.

Fortunately the beach has its own irresistible appeal, especially at sunset. This hotel is called what it is for a reason.

Dos restaurantes, que presentan comida mexicana, mediterránea e internacional, ofrecen la opción de servicio en la playa. El bar del hotel se conoce por el nombre de su bartender, Orlando, quien lleva trabajando allí desde que "todo empezó". Sus cocteles le han hecho muy famoso, y algún asiduo apasionado ha declarado que regresa todos los años a Villa del Sol para tomar sus margaritas una vez más.

Two restaurants offering Mexican, Mediterranean and international cuisine provide service on the beach under the sun or stars. The hotel's bar is named after its famous bartender, Orlando, who has been working here "since it all began." He is renowned for his cocktails and more than one guest has said they come back to Villa del Sol just for Orlando's delicious Margaritas.

Villa del Sol se encuentra a sólo 15 minutos del aeropuerto internacional Ixtapa-Zihuatanejo. El pequeño pueblo de Zihuatanejo, muy cerca del hotel, tiene también su encanto particular, con su mercado de artesanías, su colorido malecón de pescadores, su atmósfera soñolienta. "...La bahía natural más hermosa de México, en la cual se encuentra el hotel con más clase del país: Villa del Sol." (London Finalcial Times).

Villa del Sol is 15 minutes from Ixtapa-Zihuatanejo's international airport. The small fishing village of Zihuatanejo, which is very close to the hotel, has its own peculiar charm with its artisan markets, colorful fishermen's wharf, laidback atmosphere and, according to the London Financial Times, "the most beautiful natural bay in Mexico, where you find the classiest hotel in the country, Villa del Sol."

DIRECTORIO
DIRECTORY

Baja California Norte

Sonora

Chihuahua

Coahuila

Baja California Sur

Nuevo León

Sinaloa

Durango

Tamaulipas

Zacatecas

San Luis Potosí

Aguascalientes

Nayarit

Guanajuato

Querétaro

Yucatán

Jalisco

Hidalgo

Quintana Roo

Edo. de México

Tlaxcala

D.F.

Colima

Michoacán

Morelos

Puebla

Veracruz

Campeche

Tabasco

Guerrero

Oaxaca

Chiapas

BAJA CALIFORNIA SUR

CASA NATALIA
SAN JOSÉ DEL CABO

ESPERANZA
CABO SAN LUCAS

VENTANAS AL PARAÍSO
SAN JOSÉ DEL CABO

CASA NATALIA

ESPERANZA

LAS VENTANAS
AL PARAÍSO

Blvd. Mijares No. 4,
Col. Centro, C.P. 23400,
San José del Cabo,
B.C.S., México
Tels. (624) 14 251 00
casa.natalia@1cabonet.com.mx
www.casanatalia.com

Carr. Transpeninsular km. 7, mz. 10,
Punta Ballena,
C.P. 23410, Cabo San Lucas,
B.C.S., México
Tels. (624) 14 564 00
US (310) 453 6212
www.esperanzaresort.com

km. 19.5 Carr. Transpeninsular
San José del Cabo,
Cabo San Lucas, C.P. 23400,
B.C.S., México
Tels. (624) 14 40300
www.rosewoodhotels.com

ZONA DEL BAJÍO

BAJIO

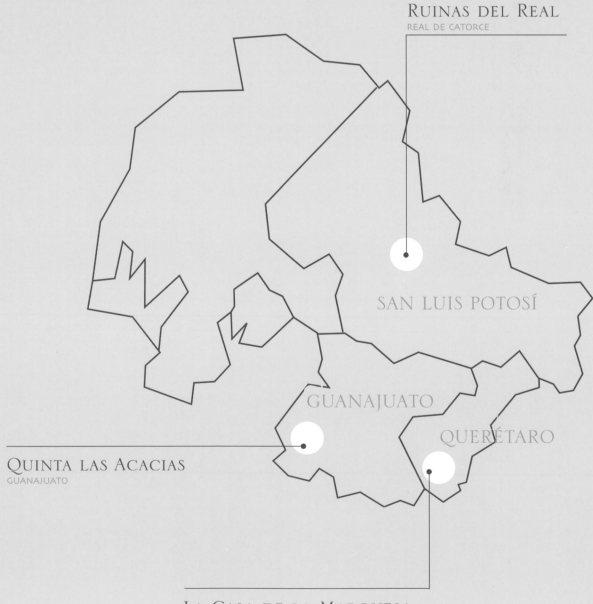

RUINAS DEL REAL
REAL DE CATORCE

SAN LUIS POTOSÍ

GUANAJUATO

QUERÉTARO

QUINTA LAS ACACIAS
GUANAJUATO

LA CASA DE LA MARQUESA
QUERÉTARO

LA CASA DE
LA MARQUESA

RUINAS
DEL REAL

QUINTA
LAS ACACIAS

Madero No. 41,
Col. Centro, C.P. 76000,
Querétaro, México
Tels. (442) 212 0092
(01 800) 401 71 00
marquesa@hotmail.com

Libertad esquina Lerdo s/n,
Real del Catorce, S.L.P.,
México
Tels. (488) 887 5066
alexmagno14@yahoo.com

Paseo de la Presa No. 168,
Col. Centro, C.P. 36000
Guanajuato, México
Tels. (473) 731 1517
(01 800) 710 8938
acacias@int.com.mx

ZONA DEL CARIBE

CARIBBEAN

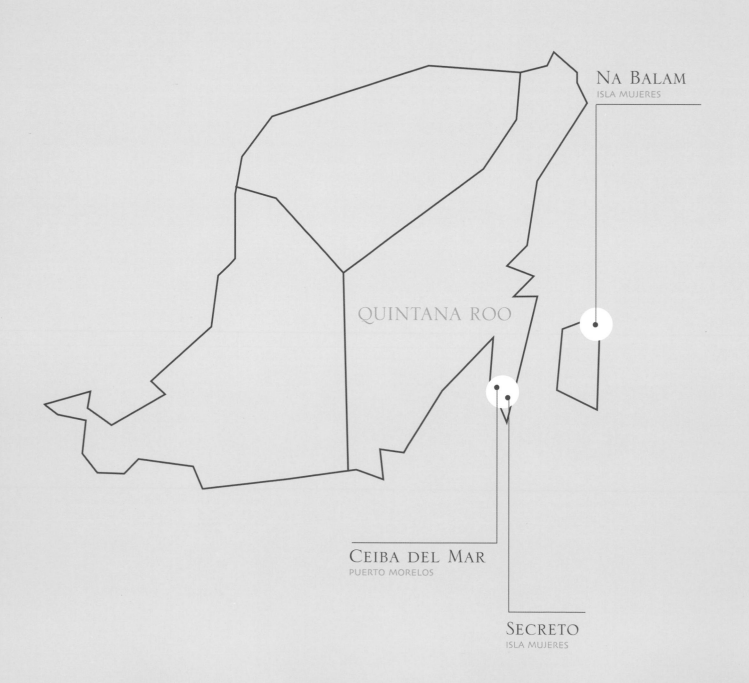

QUINTANA ROO

Na Balam
ISLA MUJERES

Ceiba del Mar
PUERTO MORELOS

Secreto
ISLA MUJERES

CEIBA DEL MAR

NA BALAM

SECRETO

Costera Norte lote 01, SMZ 10, MZ 26,
C.P. 77580, Puerto Morelos,
Quintana Roo, México
Tels. (998) 872 8060
(01 800) 426 9772
US (877) 545 6221
reserve@ceibadelmar.com
www.ceibadelmar.com

Calle Zazil Ha No. 118,
Playa Norte
Isla Mujeres, Quintana Roo,
México, C.P. 77400
Tels. (998) 877 0058
nabalam@prodigy.net.mx

Sección Rocas, Lte 11,
Punta Norte, C.P. 77400,
Isla Mujeres, Quintana Roo, México
Tels. (998) 842 6110
reserv@hotelsecreto.com
www.hotelsecreto.com

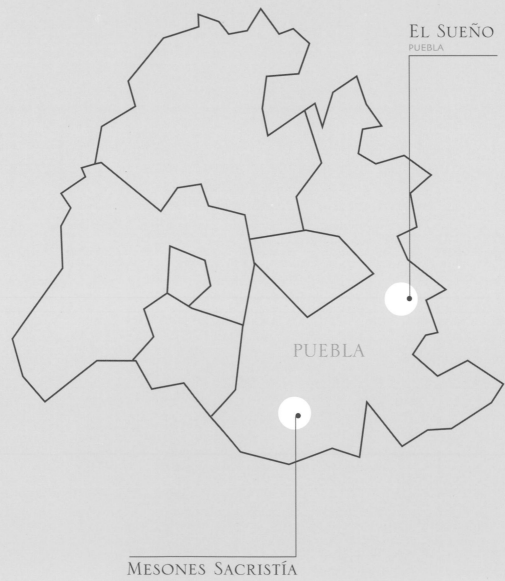

El Sueño
PUEBLA

PUEBLA

Mesones Sacristía
PUEBLA

El Sueño

Mesones Sacristía

9 Oriente No. 12,
Centro Histórico, C.P. 72000,
Puebla, Puebla, México
Tels. (222) 232 64 89
(01 800) 690 8466
hfdzdelara@elsueno-hotel.com

6 Sur 304 y 9 Oriente 16,
Antigua Calle de Capuchinas
Col. Centro Histórico,
C.P. 72000, Puebla, Puebla, México
Tels. (222) 242 3577
(01 800) 712 4028
sacristia@mesones-sacristia.com

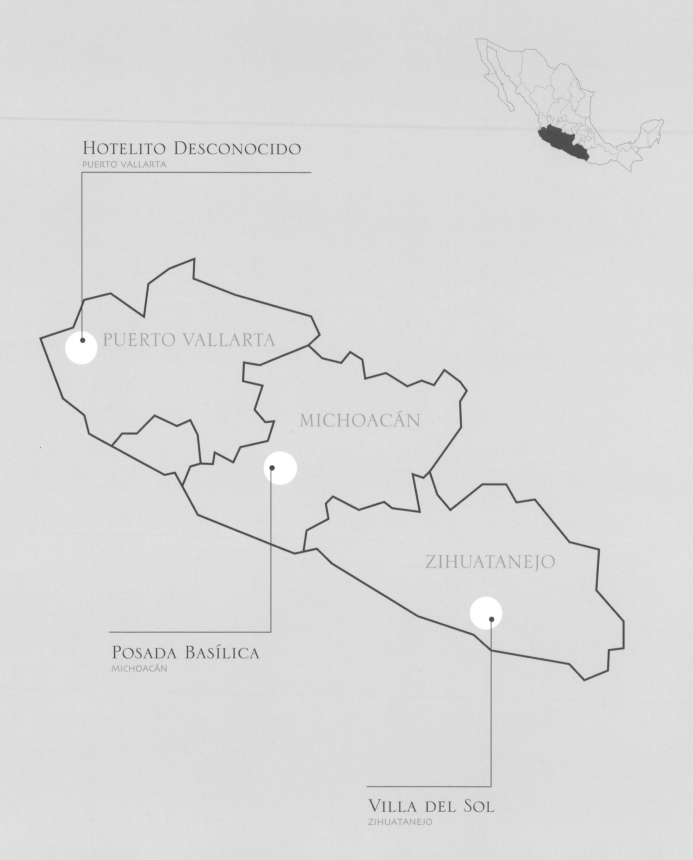

ZONA DEL
PACIFICO CENTRAL
CENTRAL PACIFIC

Hotelito Desconocido
PUERTO VALLARTA

PUERTO VALLARTA

MICHOACÁN

ZIHUATANEJO

Posada Basílica
MICHOACÁN

Villa del Sol
ZIHUATANEJO

HOTELITO DESCONOCIDO

POSADA BASÍLICA

VILLA DEL SOL

Playón Mismaloya No. 479 - 205
C.P. 48380, Puerto Vallarta,
Jalisco, México
Tels. (322) 222 2526
hotelito@hotelito.com

Calle Arciga No. 6,
Col. Centro, C.P. 61600,
Pátzcuaro, Michoacán, México
Tels. (342) 342-1108
hotelpb@hotmail.com
www.posadalabasilica.com

Playa la Ropa s/n,
Col. La Ropa, C.P. 40880,
Zihuatanejo, Guerrero,
México
Tels. (755) 555 5500
(01 800) 710 9340
reservation@hotelvilladelsol.com

SE TERMINÓ DE IMPRIMIR EN EL MES DE NOVIEMBRE DEL 2003 EN HONG KONG. EL CUIDADO DE EDICIÓN ESTUVO A CARGO DE AM EDITORES S.A. DE C.V. ESTA PRIMERA EDICIÓN CONSTA DE 8,000 EJEMPLARES.